Marc Cantin

Sébastien Pelon

Ag Imeacht le Sruth

Caibidil 1

Ar Bhruach na hAbhann

Bhí Pacó, an t-iolar maol, ag eitilt timpeall i gciorcail mhóra sa spéir.

'Stopfaimid anseo,' a d'fhógair taoiseach na dTípíonna Beaga. 'Áit mhaith í seo.'

Bhí deireadh lena n-aistear. Bhí sé i gceist ag an treibh an t-earrach a chaitheamh ar bhruach* na habhann.

Thosaigh na hIndiaigh ag obair, cuid acu ag crochadh típíonna, cuid eile ag déanamh sconsa timpeall ar an mbanrach do na capaill. Thug an taoiseach a mhac Níotú agus a chara siúd Fataí síos go dtí an abhainn.

'Dá mbeadh canú agam,' arsa Níotú lena chara, 'd'fhéadfaimid imeacht ar thuras beag ar an uisce.'

'Ag magadh atá tú?' arsa a athair. 'Tá an abhainn contúirteach. Ní thagann daoine ar ais riamh uaithi.'

Mar chruthú air sin, phioc an taoiseach suas cipín a bhí ar an mbruach agus chaith amach ar an uisce é.

Sciobadh le sruth é agus, i bhfaiteadh na súl, bhí sé imithe.

‘Ach na bradáin?’ arsa Níotú. ‘Imíonn siadsan leis an sruth nuair a bhíonn siad beag ach tagann siad ar ais nuair a bhíonn siad mór!’

‘Tá na bradáin in ann é sin a dhéanamh,’ arsa an t-athair, ‘ach ní bradán thusa!’

Phléasc Fataí amach ag gáire. Bhí cantal ar Níotú.

'Ní hea. Ní iasc mé,' ar seisean go míshásta.

'Mar sin, fan ar an talamh tirim,' arsa an t-athair, agus d'imigh sé chun súil a choinneáil ar an obair.

'Tá an ceart ag d'athair,' arsa Fataí. 'Tá an abhainn contúirteach. Gabhfaimid áit éigin eile.'

'Beidh mé leat ar ball,' arsa Níotú go cantalach.

Agus cé gur imigh a chara, d'fhan Níotú tamall eile ar an mbruach, mar chonaic sé Bradán Aclaí. Bhí Bradán Aclaí in ann an abhainn a smachtú: ba é an t-iascaire ab fhearr sa treibh é.

Bhí sé in ann canú a dhéanamh go sciobtha freisin. Ar dtús, chuireadh sé le chéile na píosaí adhmaid a bheadh i gcreatlach an bháid, ansin leathadh sé amach seithí nach ligfeadh uisce tríothu, agus ghreamódh sé den chreatlach adhmaid iad.

Bhí Níotú ag faire ar Bhradán Aclaí. Bhuail smaoineamh é....

Tá an-fhonn ar Níotú imeacht ar thuras beag i gcanú, ach ní cheadóidh a athair é: tá an abhainn róchontúirteach.

Caibidil 2

Ar Aghaidh Linn!

Bhí an ghrian ag éirí.

Ach bhí Pacó, an t-iolar maol, fós ina chodladh ar bharr an tótaim a cuireadh in airde an lá roimhe sin. Shleamhnaigh Níotú amach as an típí agus d'éalaigh sé i dtreo na habhann.

Bhí a chanú fágtha ar an mbruach

ag Bradán Aclaí. Le chéadsolas an lae, bhrúigh Níotú amach ar an uisce í, agus léim sé isteach inti!

'Anois. Beidh spórt agam!' arsa an tIndiach óg leis féin.

Ar ndóigh, bhí an canú ceangailte de chuaille le rópa láidir. Bhí Níotú ina

shuí inti, ach bhí an cathú róláidir dó. Chuala sé lapadaíl an uisce timpeall air, mhothaigh sé luascadh an bháidín faoi agus bhí a chroí ag bualadh níos sciobtha!

Rug sé ar an gcéasla* a bhí ina luí sa chanú agus lig sé air go raibh sé ag iomradh agus an ghrian ag éirí.

Go díreach ansin, chonaic sé scáth ar an mbruach. Scáth Indiaigh nach raibh rómhór a bhí ann.

'Má fheiceann Bradán Aclaí thú, ní bheidh sé róshásta!' arsa an duine sin.

D'aithin Níotú an guth. Ní fhéadfadh aon duine eile a bheith ann ach a dheargnamhaid Seogan! Níor thaitin sé le Níotú mar bhíodh sé i gcónaí ag iarraidh cleasa gránna a imirt air.

'Ná bí ag cur isteach orm,' arsa an tIndiach óg. 'Níl mé ag déanamh aon dochar. Níl mé ach ag spraoi.'

'Tá tú ag spraoi?' arsa Seogan go magúil. 'Tá tú chomh faiteach nach mbeadh sé de mhisneach ionat suí isteach inti ar chor ar bith murach go bhfuil sí ceangailte.'

Chroith Níotú a ghuaillí, agus lean sé air ag rámhaíocht gan aird a thabhairt air. Bhain sé lán a shúl as glioscarnach na habhann. Déanfaidh sé lá álainn!

Ina aonar ar an mbruach dó, d'fhan Seogan ina thost. Leath meangadh mailíseach ar bhéal. Chuaigh sé anonn go dtí an cuaille a raibh an canú ceangailte de.

Agus scaoil sé an rópa!

Tá cleas gránna eile imeartha ag Seogan ar Níotú: tá an canú scaoilte amach ar an abhainn aige.

Caibidil 3

Rósciobtha!

Bhí Níotú ag feadaíl go meidhreach.

'Is mise an bádóir is fearr!' ar sé, agus thum sé an chéasla san uisce. 'Is mise an.... Ach.... Tá mé ag GLUAISEACHT!'

D'iompaigh an tIndiach beag thart. Bhí na típíonna ag imeacht as amharc! Ar an mbruach, chonaic sé Seogan ag briseadh a chroí ag gáire.

'An feallaire!'* arsa Níotú go binbeach.

Ach tháinig an faitíos in áit na feirge. Bhí an canú agus a paisinéir á n-iompar le sruth, níos sciobtha agus níos sciobtha....

Go tobann, thosaigh an abhainn ag búiríl go feargach.

'Go réidh! Go réidh!' arsa Níotú leis féin. 'Úsáidfidh mé an chéasla leis an gcanú a dhíriú ar an mbruach.'

Thum sé san uisce í. Thum sé uair amháin í, agus an dara huair, ach an tríú huair bhuail an chéasla in aghaidh carraige agus scuabadh óna lámh í!

'Ó! A dhiabhail!'

Bhí deora ina shúile agus an chéasla ag imeacht le sruth uaidh.

'Bhí an ceart ag Fataí,' arsa Níotú go brónach. 'Tá an abhainn contúirteach.'

Agus bhí an canú ag imeacht níos sciobtha i gcónaí.

'Hóra, a Níotú! Céard atá ar siúl agat ansin?'

Céibeac, taoiseach na mbéabhar, a ghlaoigh air ón mbruach. Bhí crann leagtha aige chun damba a dhéanamh.

'Ní féidir liom stopadh!' arsa Níotú. 'Tá mo chéasla imithe uaim!'

'Fan nóiméad! Tóg go bog é agus cabhróidh mé leat,' arsa an béabhar.

Bhuail sé a eireaball in aghaidh an talaimh mar chomhartha do na béabhair eile. Rith siadsan go léir chuige agus beart craobhacha ag gach uile cheann acu. Léim siad anuas ar an damba. Shín an damba amach beagnach leath bealaigh trasna na habhann.

'Caith chugainn an rópa!' a bhéic Céibeac.

'An rópa?' arsa Níotú. 'Cén rópa?'

Bhí sé ag dul thar an damba nuair a thug Níotú faoi deara go raibh na béabhair ag síneadh a gcos i dtreo dheireadh an chanú, agus chuimhnigh sé go raibh an rópa ceangailte di i gcónaí.

Tá an canú ag imeacht le sruth, ach tuigeann ceannaire na mbéabhar go bhfuil Níotú i gcontúirt.

Caibidil 4

Le Chéile Anois!

Thóg Níotú an rópa agus chaith chuig na béabhair é.

'Tá sé agam!' arsa Céibeac.

Faraor, bhí an béabhar á tharraingt ag an rópa.

'Ó, a dhiabhail,' ar sé agus é ag léim ó shail crainn amháin go sail eile.

'Gabhaigí i leith! Cabhraigí liom!'

Rug an dara béabhar greim ar an rópa, ansin an tríú, an ceathrú, agus an cúigiú béabhar! Cheapfá gur ag imirt tarraingt na téide a bhí siad. Mhoilligh siad luas an chanú, ach ní raibh siad in ann í a choinneáil.

'Tusa!' arsa Céibeac. 'Tabhair cúnamh dúinn in áit a bheith i do staic ansin!'

Tháinig an séú béabhar, an ceann ab óige, agus beart géag ina ghabháil aige.

'Caith uait na géaga agus beir ar an rópa seo sula dtarraingeoidh sé den damba muid.'

Chroith an béabhar óg a chloigeann. Ní raibh sé le ligean leis na géaga a thóg an oiread sin ama air iad a bhaint agus a bhiorrú.

'Béarfaidh mé ar an rópa idir mo chuid fiacla,' ar sé. 'Is é an rud céanna é.'

'Le do chuid fiacla? Ná déan!' a bhéic Céibeac.

Ach bhí sé ródheireanach. Ghearr na fiacla fada géara tríd an rópa … agus d'imigh canú Níotú leis an sruth arís.

Tagann na béabhair le chéile chun Níotu a shábháil ón abhainn ach, trí thimpiste, gearrann béabhar amháin an rópa lena chuid fiacla!

Caibidil 5

Contúirt Eile!

Bhí an canú ag imeacht léi go fíor-sciobtha! Agus bhí an abhainn ag coipeadh mar a bheadh uisce i bpota os cionn na tine!

'Cén fáth a bhfuil an sruth ag éirí níos láidre i gcónaí?' arsa Níotú.

Níor chreid sé go bhféadfadh canú

imeacht chomh tapa léi. Ach, go tobann, chuala sé torann aisteach. Búiríl. Tormáil fhada thoirní gan chríoch.

BrrrrRRRRRRRRRRR!

Bhreathnaigh Níotú ar an spéir, ach ní bhfuair sé aon mhíniú air. Gealladh lá maith gréine. Ní raibh aon chosúlacht stoirme air.

BrrrrRRRRRRRRRRR!

'Ó, bhó go deo!' arsa an tIndiach beag. 'Eas!'*

Os a chomhair amach, bhí an abhainn ag titim le fána i gceo tiubh bán! Bhí sé á iompar i dtreo an easa. Shamhlaigh sé é féin ag titim tríd an spás.

'Ca … Caithfidh mé smaoineamh ar rud éigin,' ar sé.

Smaoinigh an buachaill bocht arís ar an rópa: bhí píosa fada de ceangailte de dheireadh an chanú. Tharraing sé as an uisce é, chuir lúb air, agus chuir snaidhm ann. Bhí roinnt carraigeacha ag gobadh aníos as an uisce idir é agus an áit a raibh an abhainn ag titim ina heas.

'Anois go beo!' arsa Níotú agus an t-allas ag rith leis.

Chaith sé an lasú*. D'eitil sé tríd an aer agus thit an lúb timpeall ar charraig. Ach lean an canú ar a cúrsa agus bhí sí réidh le titim....

'A Mhamaíííí!' arsa Níotú.

Theann an rópa agus choinnigh sé an canú! Bhí an tIndiach óg greamaithe ina chanú ar bharr an easa ... ach ní raibh an sruth in ann iad a tharraingt níos faide. Bhí a dhath féin ag teacht ar ais i leicne Níotú.

Pléééasc!

Thosaigh an rópa ag briseadh le brú an uisce ar an gcanú!

Éiríonn le Níotú greim a choinneáil ar an gcarraig agus gan titim leis an eas, ach tá an rópa ag briseadh.

Caibidil 6

Tá Deireadh Linn!

PLÉASC!

ÁÁÁÁÁÁÁÁ! arsa Níotú de bhéic.

Ní chabhródh an cleite a bhí ina cheannbheart leis eitilt! Bhí sé féin agus a chanú ag titim tríd an aer agus a dhá lámh sínte in airde aige.

Díreach ansin rug dhá chrobh láidre greim ar a rostaí, agus chuala sé guth lách Phacó os a chionn:

'Tá mé díreach in am,' arsa an t-iolar maol.

'A Phacó!' a bhéic Níotú agus é ar crochadh san aer. 'Cén chaoi a raibh a fhios agat go raibh mé anseo?'

'Ní rún ar bith é,' arsa an t-iolar mór. 'D'inis Seogan don champa ar fad gur ghoid tú canú Bhradáin Aclaí.'

'Ní fíor é sin! B'fhéidir nár cheart dom a bheith ag spraoi sa chanú gan chead, ach is é Seogan a scaoil an rópa ceangail!'

'Tá a fhios agam,' arsa an t-iolar. 'Bíonn leathshúil ar oscailt agam agus mé i mo chodladh, agus feicim gach rud ón tótam!'

D'eitil sé timpeall i gciorcal mór os

cionn an easa agus d'imigh sé i dtreo an champa.

'Tá canú Bhradáin Aclaí briste,' arsa Níotú, go brónach. 'Tá súil agam nach mbeidh sé crosta liom.'

'Thar aon rud eile,' arsa Paco, 'creidim

go mbeidh áthas ar gach uile dhuine go bhfuil tú ar ais slán sábháilte!'

Cúpla nóiméad ina dhiaidh sin, tar éis eitilt os cionn dhamba na mbéabhar, bhí Níotú ar ais sa champa. Leag Pacó an tIndiach beag go cúramach ar an talamh, agus bhailigh an treibh timpeall air.

'Bhí an oiread faitís orainn,' arsa a thuismitheoirí agus iad ag síneadh amach a lámh chuige.

'Bhí, agus ormsa. Tá a fhios agat go raibh mise scanraithe freisin,' arsa Fataí de chogar ina chluas.

Ansin chualathas scréachaíl os cionn an champa.

'Cabhraigí liom!' arsa Seogan.

Rug Pacó greim bríste ar an Indiach óg agus d'eitil go hard sa spéir leis. Bhí a chosa is a lámha á n-oibriú ag Seogan agus é ag béicíl: 'Scaoil anuas mé!'

'Níl agat ach an focal a rá!' arsa Pacó, agus iad ag eitilt os cionn na habhann.

'Ná déan! Ná scaoil amach anseo mé! Tá bró-ó-ó-ón orm!'

'An bhfuil tú réidh leis an bhfírinne a insint?' arsa an t-iolar.

'Tá!' arsa Seogan. 'Mise a scaoil an téad ar an gcanú. Ormsa atá an locht!'

Fad a bhí Pacó ag tabhairt an Indiaigh óig go dtí an bruach, bhí taoiseach na dTípíonna ag smaoineamh ar phionós nach ndéanfadh Seogan dearmad go deo air.

Maidir le Níotú, chuaigh sé go dtí Bradán Aclaí agus dúirt sé: 'Más maith leat, cabhróidh mé leat chun canú nua a dhéanamh.'

'Beidh míle fáilte romhat,' arsa Bradán Aclaí. 'Agus múinfidh mise duit chun canú a stiúradh.'

'Ba bhreá liom é sin.'

'Agus céard fúmsa?' arsa Fataí, ag teacht rompu. 'An mbeidh cead agamsa teacht freisin?'

'Beidh cinnte,' arsa Bradán Aclaí, 'ach beidh orainn canú níos mó a dhéanamh. Agus, mar sin, beidh cara ag Níotú le haire a thabhairt dó.'

'Abair é!' arsa Pacó agus é ag teacht ar ais ar a áit ar an tótam. 'Tá sé tábhachtach aire a thabhairt do do chairde.'

❶ An Scríbhneoir

Marc Cantin:

Níl a fhios agam cén uair a rinneadh an chéad bhád. Is dóigh nach raibh ann ach cúpla crann ceangailte dá chéile ar snámh ar an uisce. Ach tá mise ag ceapadh gur thábhachtaí go mór an rafta sin a dhéanamh ná an chéad charr. Tharla nach bhfuil an duine rómhaith ag snámh, tugann bád deis dó dul thar aibhneacha agus, go deimhin, thar farraige. Cheapfá nuair a shuíonn tú isteach i gcanú go raibh do thóin leagtha ar bharr

an uisce agus an sruth do d'iompar leis. Tá níos mó i gceist le seoladh i gcanú ná suí síos. Caithfidh tú na céaslaí a oibriú, an bád a stiúradh, streachailt le géaga ísle, agus carraigeacha a sheachaint. Ach is mór an spórt é cruidín, cearc uisce, nó corr réisc a fheiceáil ar an abhainn — gan trácht ar an mbreac a fheiceáil tríd an uisce glan thíos fút.

Tá mé i mo chónaí in aice le habhainn, agus tá canú sa gharáiste agam, agus go hiondúil, cumaim eachtraí Níotú, ach bhí mé féin páirteach san eachtra seo ar fad (beagnach)!

2 An tEalaíontóir

Sébastien Pelon:

An chéad uair a bhí mise i gcanú, níor thuig mé oibriú na gcéaslaí i gceart. Ní raibh aon ghluaiseacht san uisce agus an t-aon ghluaiseacht a d'éirigh liom a dhéanamh ná casadh mar a bheadh caiseal ann. Bhí míobhán orm agus ní de bharr tinnis farraige é!

Ach mhaith mé don chanú é nuair a bhí duine de mo chairde ag iarraidh gaisce a dhéanamh: léim sé isteach sa chanú ón mbruach agus d'iompaigh an canú béal fúithi — agus thug sí mo chara léi! Shlog sé súmóg mhaith uisce agus bhí sé fliuch go craiceann. D'imigh ceann dá chuid bróg leis an sruth (bhí sruth ann an lá sin!) agus b'éigean dúinn iomramh aisteach a dhéanamh chun teacht suas leis!

Gluais

Na hIndiaigh Dhearga — an t-ainm a thug Eorpaigh ar phobal dúchasach Mheiriceá.

Treibh — Teaghlaigh Indiacha a bhfuil gaol acu le chéile. Maireann siad le chéile agus déanann siad seilg le chéile.

Taoiseach — Ceannaire na treibhe.

Típí — Puball déanta as craicne ainmhithe. Is ann a bhíonn na hIndiaigh ina gcónaí.

Gaiscíoch — Sealgaire agus trodaí óg láidir. Bíonn sé ag seilg ar son na treibhe.

Seithe — craiceann ainmhí.